Andrea Holzer-Rhomberg

Fiedel Max goes Cello

30 Vortragsstücke für Violoncello

1. Lage eng

Klavierbegleitung

Andrea Holzer-Rhomberg absolvierte ihr Studium am Mozarteum Salzburg und an der Musikuniversität Wien. Sie verfügt über langjährige Unterrichtserfahrung in den Fächern Violine, Viola und Streicherensembles. Die Autorin des bewährten Violin-/Violaschulwerkes „Fiedel-Max" ist auch regelmäßig als Jury-Mitglied bei Jugend-Musik-Wettbewerben im In- und Ausland sowie in der Musikschullehrer-Fortbildung tätig. Ihre Seminare zu streicherspezifischen Themen aus ganzheitlicher Sicht finden größten Anklang!

Impressum

© 2015 by Musikverlag Holzschuh, Manching
VHR 3867 / ISMN 979-0-2013-0961-3 / ISBN 978-3-86434-068-0

Zeichnungen: Ulrich Velte Design + Illustration, Hamburg

Umschlaggestaltung: Gerhard Illig, Schwaig bei Nürnberg

Satz: Regina Krauß, Speyer

www.holzschuh-verlag.de
www.fiedel-max.de

Inhalt

1. Die alte Dampflok

A. Holzer-Rhomberg

© 2015 by Musikverlag Holzschuh, Manching

2. Der Nachdenkliche

A. Holzer-Rhomberg

Tranquillo

3
0

con Ped.

7

3
0

3
0

13

3. Im Traumland

A. Holzer-Rhomberg

© 2015 by Musikverlag Holzschuh, Manching

4. Wenn der Elefant tanzen geht

A. Holzer-Rhomberg

7

13

© 2015 by Musikverlag Holzschuh, Manching

5. Der Clown

A. Holzer-Rhomberg

© 2015 by Musikverlag Holzschuh, Manching

6. Willi Wanderwichtel

A. Holzer-Rhomberg

© 2015 by Musikverlag Holzschuh, Manching

7. Die Laterne

A. Holzer-Rhomberg

© 2015 by Musikverlag Holzschuh, Manching

8. Das Füchslein

A. Holzer-Rhomberg

© 2015 by Musikverlag Holzschuh, Manching

9. Der Seiltänzer

A. Holzer-Rhomberg

© 2015 by Musikverlag Holzschuh, Manching

10. Das Turbo-Cello

A. Holzer-Rhomberg

© 2015 by Musikverlag Holzschuh, Manching

11. Festtagsmusik

A. Holzer-Rhomberg

© 2015 by Musikverlag Holzschuh, Manching

12. Der Geschichtenerzähler

A. Holzer-Rhomberg

© 2015 by Musikverlag Holzschuh, Manching

13. Wenn es Abend wird

A. Holzer-Rhomberg

© 2015 by Musikverlag Holzschuh, Manching

14. Reel

A. Holzer-Rhomberg

© 2015 by Musikverlag Holzschuh, Manching

15. Wiegenlied

A. Holzer-Rhomberg

© 2015 by Musikverlag Holzschuh, Manching

16. Sommertag am See

A. Holzer-Rhomberg

© 2015 by Musikverlag Holzschuh, Manching

14
17
20
23

17. Lucy's Lullaby

A. Holzer-Rhomberg

© 2015 by Musikverlag Holzschuh, Manching

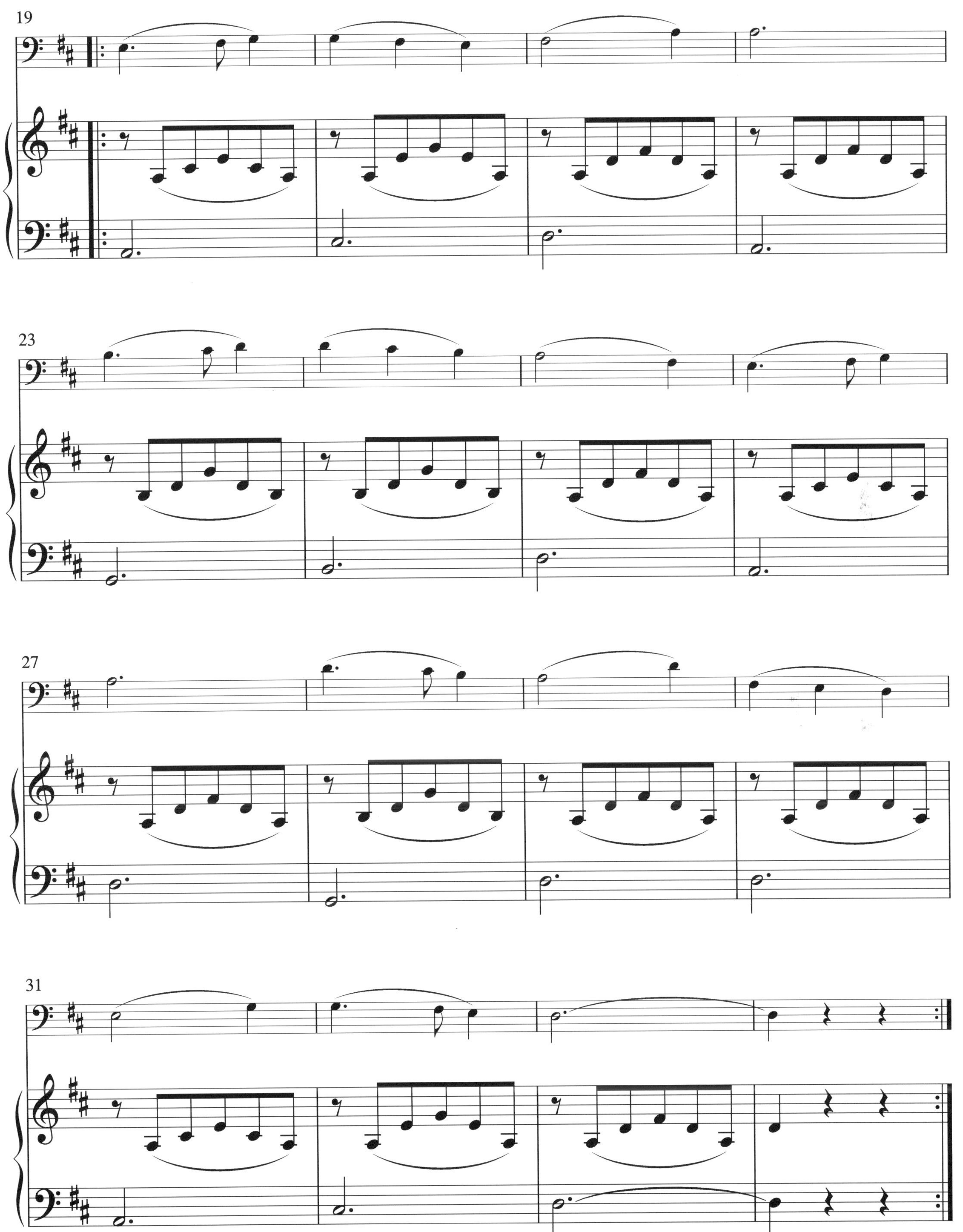
19
23
27
31

18. Mr. Jack Hunter's Jig

A. Holzer-Rhomberg

© 2015 by Musikverlag Holzschuh, Manching

15
1.
2.

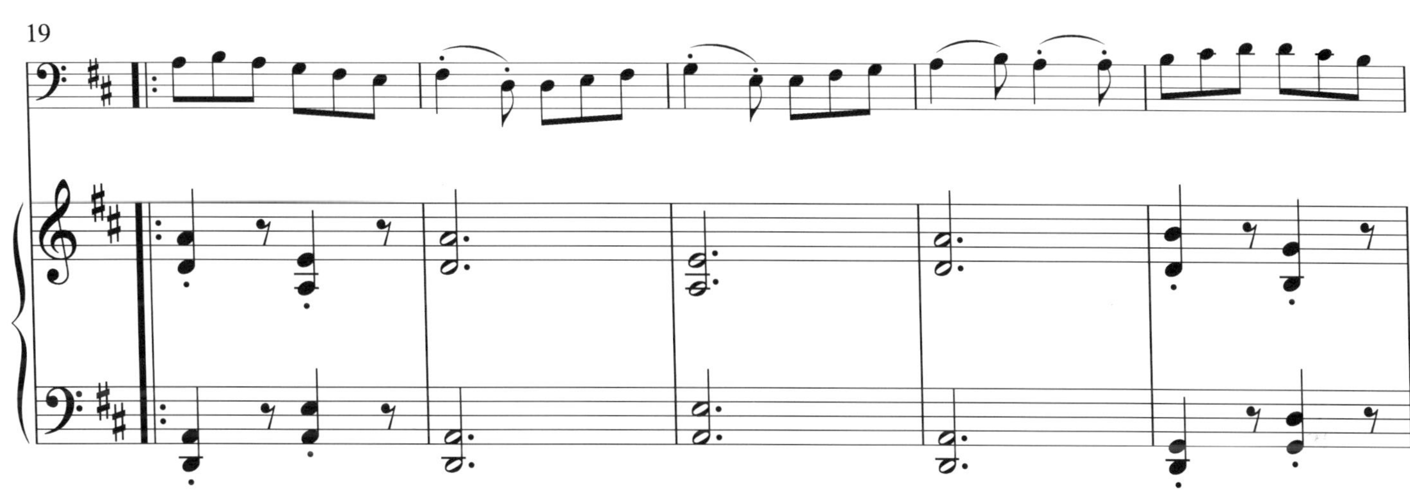
19

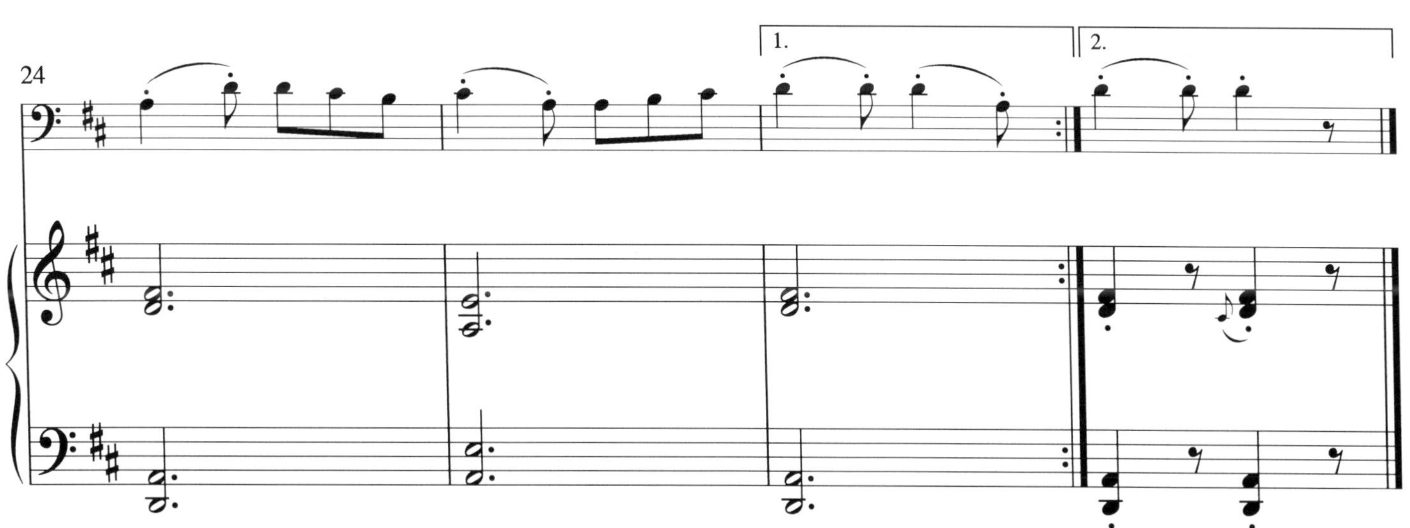
24
1.
2.

19. Arielles Wellenreise

A. Holzer-Rhomberg

© 2015 by Musikverlag Holzschuh, Manching

13
16
19
22

25
28
31
34
rit.
rit.

20. Der irische Fiddler

A. Holzer-Rhomberg

© 2015 by Musikverlag Holzschuh, Manching

21. Auf dem Lande

A. Holzer-Rhomberg

© 2015 by Musikverlag Holzschuh, Manching

17
21
25
29

33
37
41
45

Pesante
rit.
p
rit.

22. Mr. McNeal's Reel

A. Holzer-Rhomberg

4

7

10

© 2015 by Musikverlag Holzschuh, Manching

23. Wiegende Wellen

A. Holzer-Rhomberg

© 2015 by Musikverlag Holzschuh, Manching

Aus wendetechnischen Gründen steht die Nr. 25 vor der Nr. 24.

25. Sehnsuchtswalzer

A. Holzer-Rhomberg

© 2015 by Musikverlag Holzschuh, Manching

21
26
31
36
rit.
rit.

24. Peggy-Polka

A. Holzer-Rhomberg

© 2015 by Musikverlag Holzschuh, Manching

26. Ramona's Rag

A. Holzer-Rhomberg

© 2015 by Musikverlag Holzschuh, Manching

27. Menuett

A. Holzer-Rhomberg

© 2015 by Musikverlag Holzschuh, Manching

21
25
29
33

28. Scale Reel

A. Holzer-Rhomberg

© 2015 by Musikverlag Holzschuh, Manching

13
16
19
23

29. Betty Blue

A. Holzer-Rhomberg

© 2015 by Musikverlag Holzschuh, Manching

30. Stiefeltanz

A. Holzer-Rhomberg

© 2015 by Musikverlag Holzschuh, Manching

8
arco
12
16
20

23
27
31
34
pizz. links